**Para meu marido Ezra, um grande músico,
cujo apoio inspirou este livro.**

© 1993 Aladdin Books Ltd, London
Título original em inglês: *Famous Children Beethoven*
Tradução autorizada por Aladdin Books Ltd

© 1993 Callis Editora Ltda
Todos os direitos reservados

Coordenação editorial: Miriam Gabbai
Tradução e adaptação do original: Helena B. Gomes Klimes
Revisão: Ricardo N. Barreiros
Escaneamento e tratamento das imagens: Márcio Uva
Diagramação: Carlos Magno

Texto adequado às regras do novo Acordo Ortográfico da Língua Portuguesa

2ª edição, 2011
5ª reimpressão, 2022

CIP-BRASIL. CATALOGAÇÃO-NA-FONTE
SINDICATO NACIONAL DOS EDITORES DE LIVROS, RJ

R118b
2.ed.

Rachlin, Ann, 1933

   Beethoven / Ann Rachlin e [ilustração] Susan Hellard ; [tradução e adaptação do original Helena B. Gomes Klimes]. - 2.ed. - São Paulo : Callis Ed., 2011.
   il. color. - (Crianças famosas)

   Tradução de: *Famous children Beethoven*
   ISBN 978-85-7416-448-9

   1. Beethoven, Ludwig van, 1770-1827 - Infância e juventude - Literatura infantojuvenil. 2. Compositores - Alemanha - Biografia - Literatura infantojuvenil. 3. Literatura infantojuvenil inglesa. I. Hellard, Susan. II. Klimes, Helena B. Gomes (Helena Botelho Gomes) III. Título. IV. Série.

09-5722.

04.11.09   12.11.09

CDD: 927.8168
CDU: 929:78.071.1
016145

ISBN: 978-85-7416-448-9

Impresso no Brasil

2022
Callis Editora Ltda.
Rua Oscar Freire, 379, 6º andar • 01426-001 • São Paulo • SP
Tel.: (11) 3068-5600 • Fax: (11) 3088-3133
www.callis.com.br • vendas@callis.com.br

Crianças Famosas

BEETHOVEN

Ann Rachlin e Susan Hellard

Tradução: Helena B. Gomes Klimes

callis

O galinheiro estava tão silencioso que Cecily Fischer, a irmã do padeiro, ficou desconfiada. De repente, as galinhas começaram a cacarejar nervosamente. Cecily correu até lá e abriu de uma só vez a porta.

— Ah! Então é você, Ludwig! Agora sei quem vem roubando meus ovos ultimamente.

— Não, não, senhorita Fischer! — mentiu o menino. — Só entrei aqui para apanhar meu lenço. Kaspar o jogou!

Ludwig van Beethoven morava com seus pais e seus dois irmãos, Kaspar e Nikola, em cima da casa do padeiro, na rua Rheingasse, 934, em Bonn, na Alemanha. Em 1774, ele era um menino de quatro anos de idade, que vivia despenteado e com as mãos sujas.

Ludwig frequentava a mesma escola que seus irmãos, que eram ótimos alunos. Mas Ludwig odiava as aulas. Em francês, italiano e latim suas notas eram péssimas, e em matemática as coisas não eram melhores. Ludwig era tão fraco em multiplicação que, para descobrir quanto eram três vezes quatro, ele escrevia três vezes o número quatro e fazia uma conta de adição! Entretanto, quando se tratava de música, ninguém era melhor que ele.

Ludwig era tão pequeno quando começou a aprender piano que tinha de ficar em pé para alcançar o teclado. Ele também aprendeu a tocar violino.

Suas primeiras aulas de música foram dadas por seu pai, Johann, que era cantor e um professor muito severo. Mesmo quando chegava tarde da noite em casa, Johann tirava Ludwig da cama para estudar. Se Ludwig tentasse tocar de cor, seu pai ficava furioso.

— Que lixo é esse que você está tentando tocar agora? — gritava ele. — Toque segundo a partitura, do contrário, você nunca se tornará um músico de verdade!

Algumas vezes, quando seu pai estava ocupado com visitas, Ludwig se dirigia sorrateiramente ao piano e tocava alguns acordes.

— Que barulho é esse? Vá embora ou puxo suas orelhas! — gritava Johann, furioso.

Mas até esse pai mal-humorado tinha de admitir que Ludwig fazia progressos incríveis em suas aulas de música. Logo, o pequeno Ludwig estava aprendendo a tocar viola e órgão, tornando-se um músico muito melhor que seu pai.

Quando Ludwig completou sete anos, Johann decidiu que ele deveria dar seu primeiro concerto. Ele sabia que, alguns anos antes, Leopold Mozart havia levado seu brilhante filho Wolfgang em uma turnê pela Europa.

— Ludwig também poderá ganhar algum dinheiro!

O concerto aconteceu no dia 26 de março de 1778.

Todas as notícias diziam que Ludwig só tinha seis anos. Johann havia mentido sobre a idade de seu filho para que todos pensassem que Ludwig era tão genial quanto Mozart.

Certa manhã, Johann fez um furo em um ovo e engoliu, de uma só vez, a gema e a clara. Depois, comeu duas ameixas! "Ele cantará esta noite. Ele sempre come um ovo cru e duas ameixas antes de cantar para deixar sua voz mais brilhante", pensou Ludwig fazenda uma careta.

Conforme foi crescendo, Ludwig percebeu que quase todas as pessoas que conhecia trabalhavam para o arcebispo de Colônia. A vida no palácio do arcebispo era muito luxuosa, e o arcebispo, uma pessoa muito importante. Ele era um dos poucos "eleitores" que escolheram o novo imperador após a morte do antigo imperador. Ele adorava comer bem, caçar e ouvir música.

O eleitor tinha sua própria orquestra. O avô de Ludwig havia sido mestre de capela, o chefe de todos os músicos da corte do eleitor. Johann sonhava com o dia em que Ludwig se tornaria mestre de capela como seu avô.

Quando Ludwig estava com dez anos, Christian Gottlob Neefe tornou-se o novo organista do eleitor. Esse excelente músico percebeu que Ludwig era um gênio e que precisava de um bom e compreensivo professor para encorajá-lo a compor. O senhor Neefe dizia que Ludwig era um jovem muito talentoso e promissor e que certamente se tornaria um novo Wolfgang Mozart se continuasse como havia começado!

Encantado com o talento de Ludwig, o senhor Neefe convidou-o para ser seu assistente.

Uma manhã, bem cedinho, Ludwig foi acordado por um galo que cantava bem em cima do quarto de seus pais. Ele acordou seu irmão Kaspar.

— Há um galo no telhado, Kaspar. E ele parece bem gordo... Vamos pegá-lo!

Os dois garotos desceram silenciosamente a escada e pegaram um pedaço de pão na cozinha do padeiro.

Parados no quintal, eles atraíram o galo com o pão.

— Cocoricó! Venha, galinho. Desça!

O galo não pôde resistir e desceu para ciscar o pão. Os meninos não perderam tempo e pularam em cima dele.

— Te pegamos! — exclamaram os dois irmãos.

Naquela noite, os pais de Ludwig não conseguiram adivinhar quem havia pegado aquela ave tão saborosa que eles comeram no jantar...

— É hora de subir para descansar um pouco, mamãe!

Os meninos estavam muito ansiosos. Era o dia do aniversário de sua mãe e, como todos os anos, eles celebrariam com um concerto. Ludwig, Kaspar e Nicola preparam uma linda cadeira para sua mãe, decorada com folhas, flores e um dossel. Por volta das dez horas, estavam prontos e começaram a afinar seus instrumentos.

— Quietos! Ela vem vindo!

A senhora Beethoven estava linda! Johann conduziu-a até a cadeira especialmente preparada para ela. Os músicos começaram a tocar e o som de uma música adorável encantou toda a vizinhança. Depois do concerto, eles comeram e beberam, e, para não incomodar algum vizinho que já estivesse dormindo, dançaram de meias para não fazer barulho.

Sentado à janela de seu quarto, Ludwig olhava para o quintal. Ele segurava os manuscritos de suas primeiras composições importantes, três sonatas para piano. Ele havia trabalhado nessas composições por várias semanas, reescrevendo passagens inteiras até que ficasse completamente satisfeito, e escreveu a dedicatória:

"A Vossa Excelência Reverendíssima, arcebispo eleitor de Colônia, meu bondoso soberano, composto por Ludwig van Beethoven, aos onze anos de idade."

Em 1784, um novo eleitor chegou a Bonn. Era o arquiduque Maximiliano, irmão do imperador.

— Traga-me a lista de todos os músicos de minha orquestra!

O arquiduque Maximiliano era um homem muito gordo, que adorava a boa comida e, principalmente, a boa música.

— Ah! Johann van Beethoven está com a voz muito cansada! Ouvi dizer que seu Ludwig é ainda muito jovem, mas muito capaz. Estou ansioso para ouvi-lo tocar órgão!

Ludwig já não era mais um menino despenteado! Agora ele era um músico da corte e tinha de estar sempre limpo e arrumado. Ele vestia uma linda sobrecasaca, calças até os joelhos, meias de seda e um lindo colete cheio de bolsos, todo bordado com fios de ouro. Seus cabelos eram enrolados dos lados e presos atrás com um laço. Ele tinha até uma espada e um cinto de prata, mas para usar apenas em ocasiões especiais.

Quando fez dezesseis anos, por decisão do senhor Neefe, Ludwig foi para Viena estudar com Mozart.

Ludwig van Beethoven chegou a Viena em 7 de abril de 1787 e, poucos dias depois, ele se encontrou com Mozart, que o convidou a tocar. Ludwig se sentou ao piano e tocou lindamente, mas Mozart não se surpreendeu.

— Bom. Você estudou direitinho — disse Mozart friamente.

— Posso fazer muito mais do que isso! Dê-me uma melodia e eu lhe mostrarei o que posso fazer com ela! — disse Ludwig.

Os dedos de Ludwig pareciam voar sobre o teclado. Ludwig estava inspirado, afinal estava tocando para o grande Wolfgang Amadeus Mozart. Aquela simples melodia dada por Mozart transformou-se em uma maravilhosa obra de arte nas mãos de Ludwig. Mozart ficou fascinado e, ao final, dirigiu-se à sala ao lado, onde alguns amigos o esperavam.

— Vocês acabaram de ouvir Ludwig van Beethoven! — anunciou Mozart. — Algum dia o mundo todo falará dele.

Ludwig van Beethoven tornou-se um dos maiores compositores de todos os tempos. Ele compôs mais de 600 peças, entre as quais nove sinfonias, cinco concertos para piano, um concerto para violino, uma ópera, 32 sonatas para piano e muitas peças para quartetos de cordas, trios e canto. Beethoven compôs muitas dessas obras de arte depois de ficar surdo. Entre suas composições mais famosas estão a "Sonata ao Luar", a "Sinfonia Pastoral" (nº 6), e "Ode à Alegria", parte de sua nona sinfonia. Beethoven morreu em 1827.

Ann Rachlin é uma educadora de música internacionalmente conhecida. Também é escritora, contadora de histórias, letrista, palestrante e fundadora da instituição de caridade The Beethoven Fund, para crianças surdas. Ann atuou em inúmeros festivais internacionais de música e contribuiu com grandes orquestras sinfônicas no Reino Unido, nos EUA e na Austrália.

Susan Hellard é uma hábil ilustradora com uma longa lista de livros para crianças. Mora em Londres e adora nadar. Possui um estilo de ilustração bem diversificado, abrangendo desde princesas até livros de receitas e projetos de cerâmica.